MDS : 660325
ISBN : 978-2-215-08459-4

Dépôt légal à la date de parution.
Conforme à la loi n° 49-956 du 16 juillet 1949
sur les publications destinées à la jeunesse.
Imprimé en Italie (02-18)

Un PAPY ça sert à quoi ?

Texte :
Sophie Bellier

Images :
Ginette Hoffmann

FLEURUS ÉDITIONS, 15-27, rue Moussorgski, 75018 PARIS
www.fleuruseditions.com

Tatoune est un petit éléphant pressé. Il veut toujours être le premier. Pour le calmer, son papy a décidé de s'occuper de lui toute une journée.

– Quelle mauvaise idée !
ronchonne Tatoune, Papyphant
est lent. Avec lui, c'est certain,
je vais m'ennuyer.

Sur le chemin, Tatoune trépigne d'impatience. Papyphant ne marche pas assez vite.

Il envie son amie la gazelle qui
court joyeusement avec son papy.
– Papyphant est vraiment trop lent,
soupire Tatoune en dressant
sa trompe en signe
de mécontentement.

C'est l'heure du bain. Papyphant frotte et rince longuement pour enlever toute la poussière. Tatoune s'énerve. Papyphant ne lave pas assez vite.

Il envie son ami le lionceau qui d'un coup de langue est nettoyé par son papy.
– Papyphant est vraiment trop lent, soupire Tatoune en secouant ses grandes oreilles en signe de mécontentement.

Pendant le déjeuner, Tatoune
gesticule dans tous les sens.
Papyphant ne mange pas assez vite.
Il envie son ami l'oiseau qui picore avec
son papy deux petits vers et puis s'envole.

– Papyphant est vraiment trop lent,
soupire Tatoune en remuant
sa queue en signe
de mécontentement.

Caché derrière un arbre, Tatoune barrit d'impatience. Papyphant met du temps à trouver sa cachette. Papyphant ne joue pas assez vite. Il envie son ami le singe qui saute de branche en branche pour attraper son papy.

– Papyphant est vraiment trop lent, soupire Tatoune en tapant du pied en signe de mécontentement.

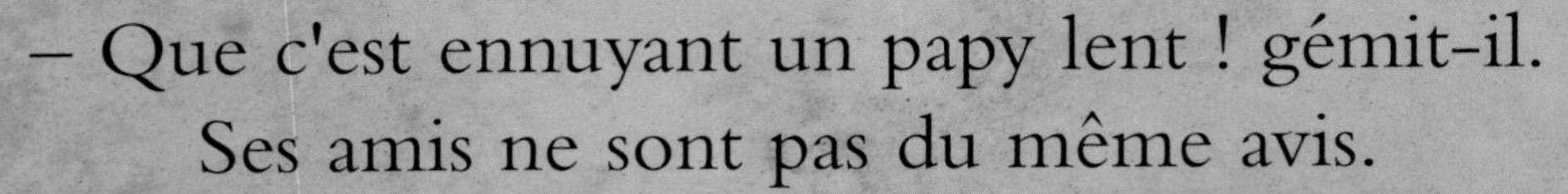

– Que c'est ennuyant un papy lent ! gémit-il.
Ses amis ne sont pas du même avis.
– Un papy lent, c'est un papy qui a le temps de te montrer, sans s'énerver, comment bien te servir de ta trompe, dit la petite gazelle.

– C'est vrai que Papyphant
est patient avec moi !
s'exclame Tatoune.

– Un papy lent, c'est un papy qui a le temps
de te câliner pendant l'heure
de la sieste, dit le petit lionceau.
– C'est vrai que Papyphant est affectueux avec
moi ! s'exclame Tatoune.

Sur ses genoux, je m'endors
en toute tranquillité.
Je sais bien que rien ne peut m'arriver.

– Un papy lent, c'est un papy qui a
le temps de te raconter de longs
et passionnants contes de fées
pour t'endormir, dit le petit oiseau.

– C'est vrai que Paphyphant imagine
des histoires rien que pour moi !
s'exclame Tatoune.

– Un papy lent, c'est un papy qui a le temps de te regarder grandir en étant toujours prêt à t'écouter, dit le petit singe.

– C'est vrai que Papyphant est attentif à moi ! s'exclame Tatoune. Lorsque je suis triste, Papyphant est là pour sécher mes larmes.

Tatoune n'envie plus ses amis.
– Papyphant, c'est un papy épatant ! Il sait toujours répondre aux pourquoi ? et aux comment ? C'est un papy qui m'offre tout son temps pour m'apprendre à devenir un grand.

Blotti contre lui, Tatoune
se sent protégé et rassuré.
Il lui confie ses petits secrets.
À ses côtés, Tatoune est
tout simplement heureux
de se sentir aimé.